手书嘉言集

弘一大师 著

中国画报出版社 · 北京

图书在版编目（CIP）数据

手书嘉言集 / 弘一大师著 . -- 北京 ：中国画报出版社，2017.1（2022.11重印）
（弘一大师文集）
ISBN 978-7-5146-1379-7

Ⅰ．①手… Ⅱ．①弘… Ⅲ．①汉字－法书－作品集－中国－现代 Ⅳ．①J292.28

中国版本图书馆 CIP 数据核字（2016）第 247201 号

手书嘉言集　　弘一大师 著

出 版 人：于九涛
特别策划：吴红梅
责任编辑：于九涛 郭翠青
助理编辑：魏姗姗
封面篆章：朱广贺
责任印制：焦　洋
出版发行：中国画报出版社
（中国北京市海淀区车公庄西路 33 号　邮编：100048）
开　　本：32 开（787mm×1092mm）
印　　张：3
字　　数：39 千字
版　　次：2017 年 1 月第 1 版　2022 年 11 月第 2 次印刷
印　　刷：三河市兴国印务有限公司
定　　价：18.00
总编室兼传真：010−88417359　版权部：010−88417409
发行部：010−88417360　010−88417417（传真）

出版说明

本书是参照浙江平湖李叔同纪念馆为纪念弘一法师诞辰一百三十周年，选编的刘质平先生所藏弘一法师手书格言联句，转印成符合现代人阅读习惯的册子，广结善缘，为今所用。

这些处世格言简练而寓意深刻，再由弘一法师手书后，笔墨之间，凝炼质朴，启迪智慧，教化人生之作用融于其中，是一本值得慢慢体悟的经典手迹集。

编者

2015 年 10 月

守分身无辱

知几心自闲

以勤俭作家

以忍让接物

身在万物中

心在万物上

是是非非地

明明白白天

恶莫大于无耻

过莫大于多言

大着肚皮容物

立定脚跟做人

声名谤之媒也

欢乐悲之渐也

见事贵乎理明

处事贵乎心公

岂能尽如人意
但求不愧我心

怒宜实力消融
过要细心检点

律己宜带秋气
处世须带春风

必有容德乃大
必有忍事乃济

无事时戒一偷字

有事时戒一乱字

临事须替别人想

论人先将自己想

书有未曾经我读

事无不可对人言

善用威者不轻怒

善用恩者不妄施

盛喜中勿许人物
盛怒中勿答人书

毋以小嫌疏至戚
毋以新怨忘旧恩

以镜自照见形容
以心自照见吉凶

事当快意处须转
言到快意时须住

一念疏忽是错起头
一念决裂是错到底

日日行不怕千万里
常常做不怕千万事

有真才者必不矜才
有实学者必不夸学

不让古人是谓有志
不让今人是谓无量

人好刚我以柔胜之

人用术我以诚感之

静能制动沉能制浮

宽能制褊缓能制急

一动于欲欲迷则昏

一任乎气气偏则戾

心志要苦意趣要乐

气度要宏言动要谨

作恶事须防鬼神知

干好事莫怕旁人笑

有阴德者必有阳报

有隐行者必有显名

于福作罪其罪非轻

于苦作福其福最大

意粗性躁一事无成

心平气和千祥骈集

见人不是诸恶之根
见己不是万善之门

祸到休愁也要会救
福来休喜也要会受

天下无不是底父母
世间最难得者兄弟

造物所忌曰刻曰巧
万类相感以诚以忠

谦美德也过谦者怀诈

默懿行也过默者藏奸

对失意人莫谈得意事

处得意日莫忘失意时

处逆境心须用开拓法

处顺境心要用收敛法

人褊急我受之以宽宏

人险仄我待之以坦荡

缓事宜急干敏则有功
急事宜缓办忙则多错

自责之外无胜人之术
自强之外无上人之术

从前种种譬如昨日死
从后种种譬如今日生

有才而性缓定属大才
有智而气和斯为大智

天地不可一日无和气
人心不可一日无喜神

宽厚者毋使人有所恃
精明者不使人无所容

俭则约约则百善俱兴
侈则肆肆则百恶俱纵

事事培元气其人必寿
念念存本心其后必昌

径路窄处留一步与人行
滋味浓处减三分让人嗜

肆傲者纳侮讳过者长恶
贪利者害己纵欲者戕生

不近人情举足尽是危机
不体物情一生俱成梦境

涵养冲虚便是身世学问
省除烦恼何等心性安和

在事者当置身利害之外
建言者当设身利害之中

有作用者器宇定是不凡
有智慧者才情决然不露

衰后罪孽都是盛时作的
老来疾病都是壮年招的

以恕己之心恕人则全交
以责人之心责己则寡过

势可为恶而不为即是善
力可行善而不行即是恶

吾本薄福人宜行惜福事
吾本薄德人宜行积德事

无欲之谓圣寡欲之谓贤
多欲之谓凡徇欲之谓狂

凡为外所胜者皆内不足
凡为邪所夺者皆正不足

行欲徐而稳立欲定而恭

坐欲端而正声欲低而和

天欲祸人先以微福骄之

天欲福人先以微祸警之

居处必先精勤乃能闲暇

凡事务求停妥然后逍遥

只是心不放肆便无过差

只是心不怠忽便无逸志

以情恕人
以理律己

怒是猛虎
欲是深渊

群居守口
独坐防心

直道事人
虚衷御物

实处着脚
稳处下手

勤能补拙
俭以养廉

无心者公
无我者明

知足常乐
能忍自安

知足常樂能忍自安

慧力

無心者公無我者明

實語

勤能補拙儉以養廉

須彌

實處著腳穩處下手

调柔

直道事人
虛衷御物

啓功

羣居守口獨坐防心

怒是猛虎慾是深渊

談慧

以情恕人以理律己

为首

只是心不放肆便无过差
只是心不怠忽便无逆志

智住

居處必先精勤乃能閒暇

凡事務求停妥然後逍遙

堅回

天欲禍人先以微福驕之

天欲福人先以微禍警之

玄會

行欲徐而稳立欲定而恭
坐欲端而正聲欲低而和

摩尼

凡为外所胜者皆内不足

凡为邪所夺者皆正不足

一音

無欲之謂聖寡欲之謂賢

多欲之謂凡徇欲之謂狂

如智

吾本薄福人宜行惜福事
吾本薄德人宜行積德事

龍音

勢可為惡而不為即是善
力可行善而不行即是惡

賢行

以恕己之心恕人則全交

以責人之心責己則寡過

日銓

衰後罪孽都是盛時作的
老来疾病都是壯年招的

方廣

有作用無器宇定是不凡

有智慧無才情決然不露

雲辨

在事无当置身利害之外
建言无当设身利害之中

甚深

涵養沖虛便是身世學問

省除煩惱何等心性安和

龍胥

不近人情舉足盡是危機

不體物情一生俱成夢境

智门

肆傲無納侮諱過無長惡

貪利無害己從欲無戕生

玄策

徑路窄處留一步与人行

滋味濃處減三分讓人嗜

智眼

事事培元氣其人必壽
念念存本心其後必昌

順理

儉則約々則百善俱興

侈則肆々則百惡俱縱

善知

寬厚者毋使人有所恃

精明者不使人無所容

解脱

天地不可一日无和气
人心不可一日无喜神

自在

有才而性緩定屬大才
有智而氣和斯為大智

精進

從前種種譬如昨日死

從後種種譬如今日生

普音

自責之外無勝人之術
自強之外無上人之術

善入

緩事宜急幹敏則有功
急事宜緩辦忙則多錯

難思

人褊急我受之以寬宏

人險仄我待之以坦蕩

依力

處逆境心須用開拓法

處順境心要用收斂法

如實

對失意人莫談得意事

處得意日莫忘失意時

善脩

谦美德也過谦者懷诈

默懿行也過默者藏奸

圓滿

造物所忌曰刻曰巧
万類相感以诚以忠

善量

天下無不是底父母

世间最難得者兄弟

不转

禍到休愁也要會救

福来休喜也要會受

调順

見人不是诸恶之根
見己不是萬善之门

勝鬘

意粗性躁一事无成

心平气和千祥骈集

滕憻

捨福作罪其罪非輕
捨苦作福其福最大

不著

有陰德者必有陽報
有隱行者必有顯名

成智

作惡事須防鬼神知

幹好事莫怕旁人笑

書 啟

心志要苦意趣要樂
氣度要宏言動要謹

慈 捨

一動扵欲々迷則昏

一任乎氣々偏則戾

書説

靜能制動沈能制浮

寬能制褊緩能制急

録 滕

人好剛我以柔勝之

人用術我以诚感之

悲信

不让古人是谓有志
不让今人是谓无量

奶眼

有真才者必不矜才

有實學者必不誇學

芸雨

日日行不怕千万里
常常做不怕千万事

月胥

一念疏忽是错起頭
一念决裂是错到底

学依

事當快意處須转

言到快意时須住

芸 書

以鏡自照見形容

以心自照見吉凶

光澗

毋以小嫌疏至戚

毋以新怨忘舊恩

慈藏

盛喜中勿许人物

盛怒中勿答人書

賢首

善用威者不轻怒
善用恩者不妄施

大誓

书有未曾经我读

事无不可对人言

智印

臨事須替別人想
論人先將自己想

莊嚴

無事时戒一偷字

有事时戒一亂字

晚晴

必有容德乃大
必有忍事乃濟

如说

律己宜帶秋氣

處世須帶春風

增上

怒宜實力消融

過要細心檢點

诘日

豈能盡如人意
但求不愧我心

論月

見事貴乎理明
處事貴乎心公

慈風

聲名謗之媒也
歡樂悲之漸也

實智

大著肚皮容物
立定脚跟做人

妙滕

惡莫大於無恥
過莫大於多言

垂空

是〻非〻地

明〻白〻天

慧子

身在万物中
心在万物上

自悟

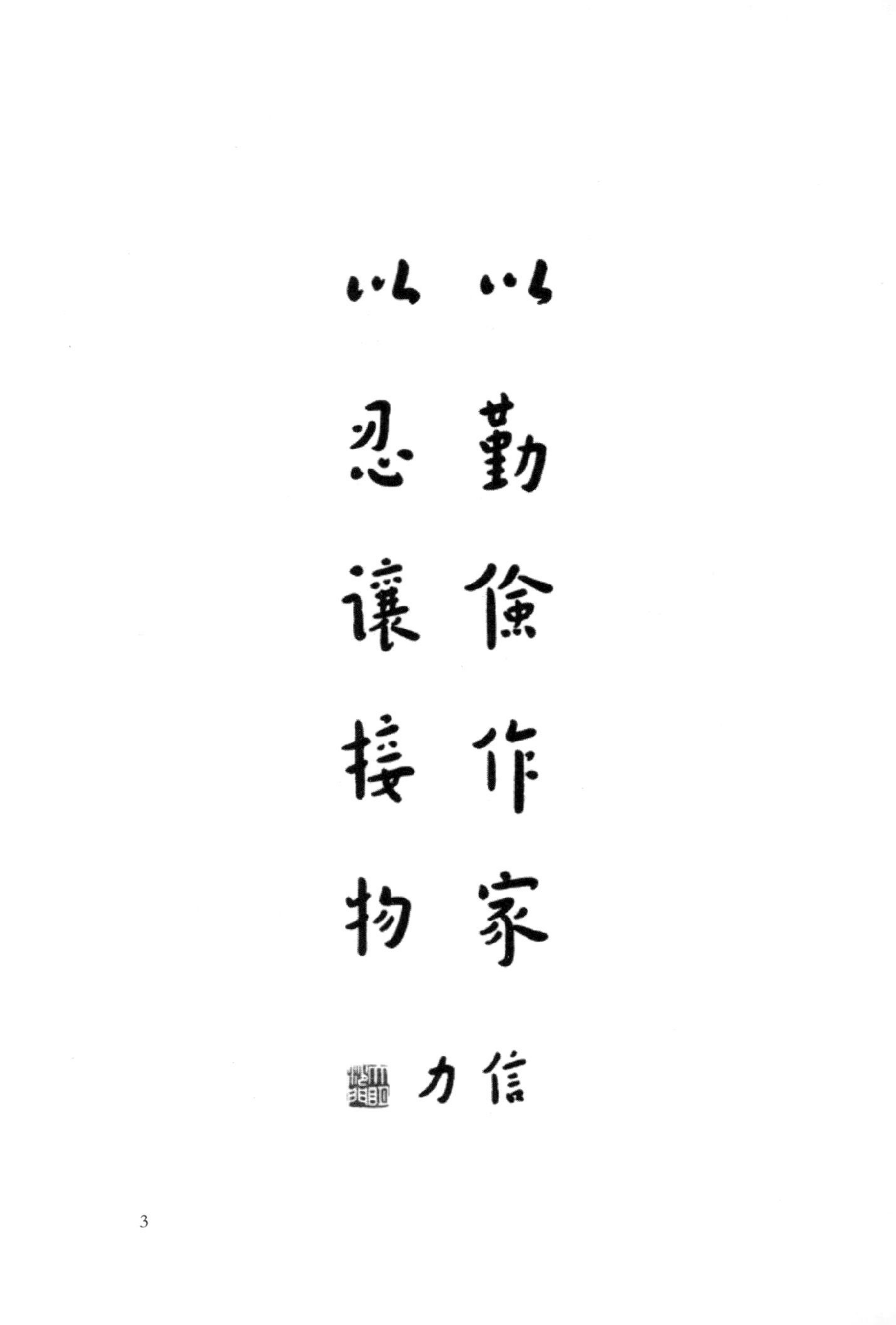

以勤儉作家

以忍讓接物

信力

守分身無辱
知幾心自间

善解

手书嘉言集